Les Carnets

de la

Cabane Magique

Le volcan Tungurahua
en éruption (Équateur)

Hélicoptère survolant
un tube de lave

Coupe d'olives
et pain retrouvés
à Pompéi

Volcanologue
prélevant de la lave

Coulée de lave
qui brûle une f....

Un tsunami frappe Hawaï

Bateaux de pêche détruits
par un raz-de-marée

L'ILLUSTRÉ
DU PETIT JOURNAL
TOUS LES DIMANCHES
ET SON SUPPLÉMENT AGRICOLE
GRAND HEBDOMADAIRE POUR TOUS
50c

LES DRAMES DE LA NEIGE

Avalanche à la une
de *L'illustré*

Un chien de sauvetage
en montagne

AVALANCHE

Volcans, séismes et tsunamis

L'éditeur remercie vivement Marc Beynié, conseiller scientifique,
journaliste à *Images Doc*, pour sa relecture scientifique.

Réalisation de la maquette : Isabelle Southgate.
Illustration de couverture et certaines illustrations intérieures :
Philippe de la Fuente.

Loi n° 49-956 du 16 juillet 1949
sur les publications destinées à la jeunesse.
Dépôt légal : février 2013 – ISBN : 978-2-7470-4301-4
Imprimé en Italie

Volcans, séismes et tsunamis

Mary Pope Osborne
et Natalie Pope Boyce

Traduit de l'anglais (États-Unis)
par Éric Chevreau

Illustré par Sal Murdocca
et Philippe de la Fuente

bayard jeunesse

Cher lecteur,

Tu as aimé nos aventures dans « Grosses vagues à Hawaï » ? Tu te souviens sans doute de la frayeur que nous avons eue quand cette vague monstrueuse s'est abattue sur le rivage, alors que nous surfions !

Nous avons alors réalisé que nous ne savions pas vraiment comment un tel phénomène se produisait. Comme tout le monde, nous avons vu à la télévision les images du terrible tsunami qui a dévasté le Sud-Est asiatique en décembre 2004. Nous avons donc voulu comprendre ce qui pouvait provoquer un tel désastre. Nous avons feuilleté des livres à la bibliothèque, consulté des sites sur Internet et visité des musées consacrés aux catastrophes naturelles (tu trouveras à la fin du guide la liste des documents et des sites que nous avons utilisés).

Nous avons voulu te faire profiter de nos recherches, illustrées de nombreux dessins et photos. Ainsi, tu seras incollable sur la façon dont se sont déroulés les évènements tragiques de 2004.

Prêt à affronter la colère de Dame Nature ? Alors, rejoins-nous pour en apprendre davantage sur les séismes, les volcans et autres catastrophes naturelles !

Tes amis passionnés de sciences, Tom et Léa.

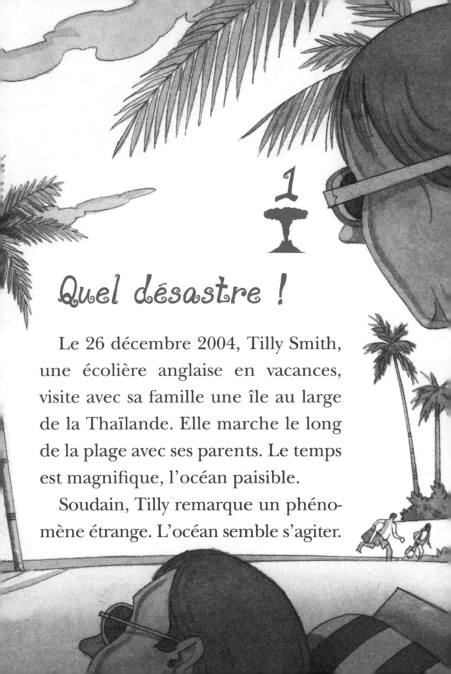

Quel désastre !

Le 26 décembre 2004, Tilly Smith, une écolière anglaise en vacances, visite avec sa famille une île au large de la Thaïlande. Elle marche le long de la plage avec ses parents. Le temps est magnifique, l'océan paisible.

Soudain, Tilly remarque un phénomène étrange. L'océan semble s'agiter.

Il se couvre d'une écume, comme l'eau qui bout dans une casserole. Les vagues déferlent, mais ne se retirent pas. La plage se rétrécit peu à peu.

Tilly se souvient alors de ce qu'elle a appris en classe, deux semaines plus tôt, à propos de vagues énormes appelées *tsunamis*. Elle commence à paniquer. Elle vient de reconnaître les signes annonciateurs d'un tsunami, cela ressemble exactement à ce qu'elle a sous les yeux ! Tilly alerte alors ses parents.

Ils se mettent à courir comme des fous sur la plage, hurlant aux baigneurs de s'enfuir. Puis ils regagnent leur hôtel pour prévenir les touristes et les membres du personnel. Tout le monde se réfugie au troisième étage de l'hôtel. Il était temps ! Quelques minutes plus tard, un véritable mur d'eau s'abat sur la plage. Trois gigantesques vagues frappent l'une après l'autre. La mer est semblable à un monstre déchaîné, et avale tout sur son passage. Les tables et les chaises atterrissent dans la piscine. Des palmiers sont arrachés.

Heureusement Tilly et sa famille sont sains et saufs. Le tsunami a épargné l'hôtel. Et, grâce à la fillette, de nombreuses vies ont été sauvées.

Tilly Smith, en compagnie de l'ancien président Bill Clinton, lors d'une visite aux Nations unies en 2005.

Tilly a été témoin d'une terrible catastrophe naturelle, provoquée par un tremblement de terre qui s'est produit à des centaines de kilomètres

de là, sous l'océan Indien. Ce séisme a déclenché l'un des pires raz-de-marée de l'histoire. Deux heures après la première secousse, des vagues

Suite au tsunami, un bateau a échoué sur la maison de Nataya Pumsi en Thaïlande.

immenses frappaient les plages de Thaïlande et d'Indonésie. Quelques heures plus tard, elles atteignaient la côte sud de l'Inde et les côtes de Afrique de l'Est, situées à plus de 8 000 kilomètres de distance !

Sur son passage, le tsunami a fait environ 300 000 morts. Deux mois plus tard, les équipes de sauveteurs retrouvaient encore 500 corps par jour.

Les catastrophes naturelles

Les tsunamis, les tremblements de terre et les volcans peuvent provoquer de terribles désastres. Ces phénomènes trouvent leur origine sous terre, ou sous le plancher des océans.

Longtemps, les scientifiques en ont ignoré les raisons. Ils ne comprenaient pas pourquoi ces catastrophes sur-venaient à certains endroits. Et puis, il y a une soixantaine d'années, un groupe de chercheurs s'est basé sur l'observation des fonds marins pour en tirer des conclusions. D'après eux, le sol serait flottant et bougerait sous nos pieds ! Ce sont ces mouvements qui seraient responsables des acci-dents naturels…

Tourne la page pour connaître l'origine du mot « désastre ».

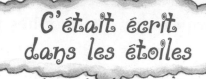

Le terme « désastre » vient du latin *astrum* qui veut dire « étoile », et du préfixe négatif *dis*, et signifie « mauvais astre ». Un mot de la même famille est « astronomie ».

L'astronomie est l'étude de l'espace et des astres qui s'y trouvent.

Il y a longtemps, on pensait que la position des corps célestes dans l'Univers était la cause des désastres qui se produisaient. On passait donc beaucoup de temps à examiner les étoiles, la Lune et le Soleil pour y lire des signes de malchance.

Aujourd'hui, on sait que ce n'est pas dans le ciel qu'il faut chercher les causes des catastrophes naturelles.

Les tremblements de terre

Les tremblements de terre peuvent se produire aussi bien sur terre que sous l'eau. Chaque année, on en compte environ un million. Celui qui a provoqué le tsunami de 2004 a duré environ dix minutes. La plupart ne durent que quelques secondes et ils ne sont pas dangereux. Les

Terriens ne les ressentent même pas. Les tremblements de terre se déclenchent sous la surface de la terre constituée de plusieurs couches qui se superposent.

La couche supérieure, sur laquelle nous vivons, est appelée « croûte terrestre ». Elle se compose de roches et de terre. Elle est froide et épaisse en moyenne d'une quarantaine de kilomètres. Sous l'océan, la croûte est plus fine, de l'ordre de 5 à 10 kilomètres.

La couche moyenne de la terre s'appelle « le manteau ». Il a une épaisseur de 3 000 kilomètres. Il est constitué de roches ultrachaudes semi-liquides qui forment une sorte de pâte épaisse. Les roches les plus profondes sont si chaudes qu'elles fondent : c'est le *magma*.

La couche inférieure de la terre, le noyau, est en deux parties : le *noyau externe* et le *noyau interne*. Le noyau externe est liquide : il est fait de roches fondues et de métaux, surtout de fer et de nickel. Le noyau interne est solide. Il a à peu près la taille de la Lune. Sa température dépasse les 6 000 degrés.

Croûte continentale : roches et terre

Croûte océanique

Manteau : roches très chaudes et roches fondues

Noyau externe : roches et métaux fondus

Noyau interne : métaux ultrachauds mais solides.

Même si la température du noyau interne est très élevée, la pression des couches supérieures est telle que les métaux qu'il renferme restent à l'état solide !

La théorie de la tectonique des plaques

Les scientifiques ont découvert que la croûte terrestre était constituée de plusieurs blocs aux tailles et aux formes différentes. Ils les ont appelés : plaques.

On en compte neuf principales, et d'autres plus petites. Ces plaques ressemblent à de gigantesques plateaux rocheux, qui s'emboîtent comme les pièces d'un puzzle. Elles ne sont pas fixes mais flottent à la surface du manteau.

Les scientifiques en ont conclu que les déplacements des plaques sont à l'origine des tremblements de terre, des volcans, mais aussi de nos montagnes. C'est ce qu'ils nomment la théorie de la dérive des continents, ou *tectonique des plaques*.

Le mot « tectonique » vient d'un mot grec qui signifie « charpentier ».

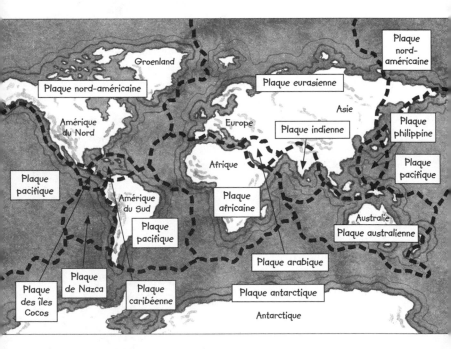

Groenland

Plaque nord-américaine

Plaque nord-américaine

Plaque eurasienne

Asie

Plaque philippine

Amérique du Nord

Europe

Plaque indienne

Plaque pacifique

Plaque pacifique

Afrique

Amérique du Sud

Plaque africaine

Plaque pacifique

Australie

Plaque australienne

Plaque arabique

Plaque de Nazca

Plaque caribéenne

Plaque antarctique

Plaque des îles Cocos

Antarctique

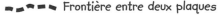 Frontière entre deux plaques

Les mouvements des plaques

Les plaques se déplacent très lentement, aussi lentement que poussent tes ongles. Lorsque deux plaques en mouvement se rencontrent, il y a trois cas.

Elles peuvent glisser et frotter l'une contre l'autre. Ou s'éloigner l'une de l'autre en creusant un « rift ».

Parfois, deux plaques entrent en collision. Il arrive alors que l'une glisse sous l'autre. C'est ce que l'on appelle la « subduction ».

Comment se produisent les tremblements de terre ?

Lorsque deux plaques glissent et frottent l'une contre l'autre, il se produit une cassure, ou *faille*, à la surface de la terre. La terre se met à trembler. Le point situé directement au-dessus de la cassure s'appelle l'*épicentre*. Il se situe en général sur le bord des plaques en mouvement.

La faille de San Andreas, en Californie, est longue de plus de 1500 kilomètres.

Lorsqu'une plaque se déplace, des morceaux de roches se brisent à ses extrémités. Elle peut alors venir s'encastrer dans une autre plaque aux bords tout aussi irréguliers.

Lorsque deux plaques imbriquées se séparent brutalement, une énorme quantité d'énergie est soudain libérée. C'est cette force puissante qui fait trembler violemment la terre. Des ondes sismiques, produites par le choc, se propagent alors à l'intérieur ou à la surface de la terre.

Un gros séisme libère autant d'énergie que 25 000 bombes atomiques !

Les ondes sismiques parcourent la roche à une vitesse d'environ 25 000 km/h. Elles se déplacent plus vite à travers les roches les plus froides. Elles sont ralenties par le sable, l'eau et les roches chaudes.

Lors d'un important tremblement

de terre, le sol se met à onduler telles des vagues sur l'océan. Parfois, la terre s'ouvre. Les voitures sont soulevées. Les fenêtres se brisent. Les immeubles s'effondrent et prennent au piège leurs occupants. Des villes entières sont ainsi détruites en quelques minutes.

À un tremblement de terre succèdent souvent de petites secousses, les *répliques*, dans les jours, les semaines, et parfois les mois qui suivent.

Si jamais tu es confronté à un tremblement de terre, tu n'es pas prêt de l'oublier !

Sais-tu qu'il y a des tremblements de terre sur la Lune ?

Oui, on les appelle alors... des tremblements de lune !

Les répliques sont des secousses moins importantes.

Comment se produisent
les tremblements de terre ?
Les plaques se déplacent.
Elles glissent l'une sur l'autre.
Elles s'écartent.
Elles entrent en collision.
De l'énergie est libérée.

Les savants
qui étudient
les séismes
sont des
« sismologues ».

Mesurer la force
des tremblements de terre

Pour analyser les mouvements sou-
terrains, les scientifiques utilisent un
appareil appelé *sismographe*. Ils en ont
réparti sur toute la planète.

Les experts savent qu'il va y avoir un tremblement de terre quand le sismographe enregistre des mouvements rapides et importants le long d'une plaque.

Pour mesurer la force d'un séisme, les scientifiques notent aujourd'hui la magnitude de l'évènement sur une échelle graduée, l'échelle de *magnitude du moment.* Le tremblement de terre qui a provoqué le tsunami de 2004 était de magnitude 9,3.

La magnitude, c'est l'intensité du séisme.

Dévastateur : 8 et plus
Majeur : 7 à 7,9
Fort : 6 à 6,9
Modéré : 5 à 5,9
Léger : 4 à 4,9
Mineur : 3 à 3,9

Alerte tremblement de terre !

Les tremblements de terre qui se produisent sur terre sont les plus dévastateurs. Ils ont tué des milliers de personnes et réduit des villes entières à l'état de ruines.

Aux États-Unis, la Californie et l'Alaska subissent le plus grand nombre de secousses.

En 1906, un terrible séisme a détruit San Francisco. L'épicentre se situait en plein cœur de la ville. La secousse n'a duré qu'une minute, mais a fait de nombreux dégâts.

Des personnes se sont retrouvées ensevelies sous les décombres. D'autres ont été tuées dans la rue suite à l'effondrement de bâtiments. Des conduites de gaz ont explosé et déclenché des incendies. L'eau manquait. Pour éviter que le feu ne se propage, les pompiers ont été obligés de dynamiter des habitations.

Les gens fuyaient pour sauver leurs vies, en emportant leurs affaires dans des chariots ou dans de grosses valises. Bientôt, les rues ont été encombrées

San Francisco, 1906

de malles et de meubles abandonnés. Ce jour-là, de nombreux habitants ont perdu tout ce qu'ils possédaient.

En cas de tremblement de terre

On ne prévoit pas un tremblement de terre comme on prévoit le temps qu'il va faire. Même avec les instruments de mesure actuels, il est difficile de dire précisément où va frapper un séisme, et avec quelle force. Voici quelques précautions à prendre si, un jour, tu sens la terre trembler :

1. Abrite-toi sous une table, le seuil d'une porte ou dans un placard.

2. Ne reste pas à proximité d'objets ou de meubles qui pourraient basculer,

Il a fallu des années pour reconstruire cette ville si appréciée de ses habitants et des touristes.

comme une bibliothèque ou un réfrigérateur.

3. Si tu es dehors, éloigne-toi des habitations ou des lignes électriques.

4. Si tu entends un sifflement ou si tu sens une odeur de gaz, fuis sans tarder, car cela risque d'exploser !

L'urne de Chang Hen

Il y a environ 1 800 ans, dans la Chine antique, un homme du nom de Chang Hen a mis au point un système original pour mesurer la force des tremblements de terre.

C'était une urne couronnée de huit têtes de dragons, chacun tenant une bille dans sa gueule. Huit grenouilles étaient placées en dessous, bouche grande ouverte.

Lorsque le sol tremblait, l'urne bougeait. Une ou plusieurs billes tombaient dans la bouche des batraciens. Chang Hen savait alors qu'un tremblement de terre avait eu lieu. En comptant les billes, il évaluait l'intensité de la secousse. Il prétendait même situer l'épicentre d'après le côté où basculaient les billes.

L'urne de Chang Hen n'était pas un instrument très fiable. Aujourd'hui, les scientifiques peuvent déterminer l'épicentre d'un séisme et son intensité avec une grande précision.

Voici une reproduction de l'urne de Chang Hen.

Les tsunamis

Le terme *tsunami* signifie « vague portuaire » en japonais. On parle aussi de raz-de-marée. Mais les marées ne créent pas de vagues, qui sont en général causées par le vent.

Les tsunamis, eux, trouvent leur origine dans le fond de l'océan. Ils

La chute de météorites dans l'océan peut aussi créer des tsunamis.

peuvent naître d'un séisme, d'un glissement de terrain ou d'une éruption volcanique sous-marine.

Ces phénomènes ont un gros impact sur le plancher océanique. Une énorme masse d'eau remonte violemment à la surface. Des vagues voyagent dans toutes les directions, à une vitesse de 800 km/h ou plus.

Une vague normale se déplace à une vitesse d'environ 90 km/h.

Le plancher océanique, c'est l'ensemble de monts volcaniques solidifiés et de ravins qu'on peut voir sous l'eau.

La vague du tsunami est plus rapide qu'un avion !

Si l'Alaska était secoué par un séisme, un tsunami pourrait atteindre Tokyo plus vite qu'un avion à réaction.

Au large, les vagues d'un tsunami sont à peine plus hautes que la normale. Pourtant, si tu te trouvais en plein milieu de l'océan, tu ne ressentirais sans doute rien. Même un marin ne remarquerait pas la vague passer sous son bateau.

Quand le tsunami frappe

Quand le tsunami atteint le rivage, les scientifiques disent qu'il « glisse » sur le fond océanique. Les vagues sont ralenties mais grandissent en hauteur. Une vague de cinquante centimètres peut se transformer en un mur d'eau de quarante mètres. C'est la hauteur d'un immeuble de treize étages !

On compte jusqu'à dix vagues par tsunami. Elles se succèdent avec un intervalle de dix à quatre-vingt-dix minutes.

La différence de hauteur entre une vague de tsunami et le niveau de la mer s'appelle la « montée » du tsunami.

On croit à tort qu'un tsunami ressemble toujours à une énorme vague. Mais, vue de la rive, la surface de l'océan paraît calme. Il est difficile de voir le danger arriver.

Pourtant, il existe des indices qui ne trompent pas. D'abord, l'eau se retire à grande distance de la plage. C'est ce qu'on appelle le « recul ». Parfois, la mer monte mais ne repart pas. Il y a beaucoup d'écume. Les bateaux à quai sont fortement agités.

De gros dégâts

Un tsunami peut provoquer de terribles ravages ! Il s'abat violemment sur la côte comme une inondation géante et emporte tous ceux qu'il rencontre sur son passage. Beaucoup de personnes se noient en se débattant dans l'eau. D'autres sont emportées au large quand, enfin, il se retire.

L'une des victimes rescapées du tsunami de 2004, une femme du nom de Malawati, a été retrouvée cinq jours après le déluge, agrippée à un palmier, à plus de 150 kilomètres du rivage !

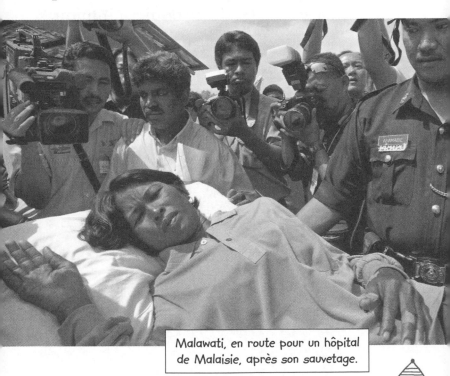

Malawati, en route pour un hôpital de Malaisie, après son sauvetage.

Les maisons, les immeubles, les routes et les lignes électriques sont entièrement détruits. Dans son sillage, le tsunami laisse des tonnes de débris, d'arbres, de boue, d'ordures et de corps. Le pire, c'est lorsque l'inondation se produit dans des zones de stockage de produits chimiques ou pétroliers, ou dans des centrales nucléaires ! Toute une région peut être

Un garçon dans les ruines de son village au Sri Lanka, après le tsunami de 2004.

polluée. En cas de rupture de canalisations, les égouts se déversent partout et rendent malade la population.

Avis de tsunami

En 1964, un tsunami a frappé les côtes d'Alaska et d'Hawaï. Suite à cette catastrophe, les scientifiques américains ont pris de nouvelles précautions. Ils ont posé de nombreux sismographes qui enregistrent la force des séismes. Ils ont envoyé des satellites tout autour de la Terre pour mesurer la hauteur des océans.

Aux États-Unis, c'est dans les îles Hawaï que se produisent la plupart des tsunamis. Cet État américain possède donc des systèmes d'alerte très perfectionnés. C'est aussi le cas

Il y a peu de tsunamis dans l'océan Indien. C'est pourquoi aucun système d'alerte n'avait été mis en place. Rien n'a donc permis de prévenir le tsunami de 2004.

en Alaska, en Californie et sur toute la façade pacifique.

En général, il se passe plusieurs heures entre un tremblement de terre et le moment où le tsunami atteint

En cas de tsunami

1. Si tu es à la plage et que tu entends les sirènes d'alerte, gagne en courant le point le plus haut possible.

2. Avant de quitter ta maison, si tu as le temps, emporte de l'eau, de la nourriture, un poste de radio à piles, et une bonne torche.

3. Écoute les avis à la radio. Ne retourne surtout pas chez toi tant que cela n'est pas sûr.

les côtes. Les autorités ont donc le temps d'avertir les populations, grâce à la radio et à la télévision. Lorsque les sirènes retentissent, tout le monde doit courir s'abriter.

4. Sois attentif et regarde l'état de l'eau. Souviens-toi de Tilly !

Un sixième sens animal ?

Depuis des siècles, les hommes ont appris à observer le comportement des animaux avant un tremblement de terre.

Dans les heures qui ont précédé le tsunami de 2004, on a remarqué que les chiens refusaient de sortir. Le vol des chauves-souris était très agité. Les

flamants roses et autres oiseaux marins se sont envolés vers les hauteurs.

Sur la côte de Sumatra, en Indonésie, les cornacs, ceux qui s'occupent des éléphants, ont raconté que leurs bêtes avaient brisé leurs chaînes pour s'enfuir dans les collines. Les scientifiques s'interrogent : pourra-t-on un jour, grâce aux animaux, prévoir un tremblement de terre ou un tsunami ?

4

Les volcans

Le mot « volcan » tire son origine de Vulcain, le dieu romain du Feu. Lorsqu'on pense aux volcans, l'image qui nous vient à l'esprit est celle d'une montagne en forme de cône qui crache du feu et des cendres. Mais il existe plusieurs sortes de volcans, de toutes les formes et de toutes les tailles. Il y a des montagnes hautes, et d'autres aux pentes plus douces,

couronnées d'un cratère. Certains
monts sont de simples fissures. Dans
tous les cas, il s'agit d'une ouverture
dans la croûte terrestre.

Les volcans naissent au bord des
plaques. Quand le phénomène de
subduction se produit, la plaque inférieure s'enfonce dans le manteau. La
température s'élève. Du magma se
forme. Plus léger que les roches solides,
il remonte vers la croûte terrestre,

Panache
de lave,
de cendres
et de gaz

Cratère

Cheminée
principale

Fissures

Magma en fusion /
Chambre magmatique

le long de fissures, les *cheminées*. La pression exercée par le magma augmente, entraînant un mélange de roches, de gaz et de cendres jusqu'à la surface de la croûte terrestre : c'est l'éruption ! Du magma s'échappe par l'ouverture du volcan. Lorsqu'il entre en contact avec l'air, on appelle le magma : la *lave*.

Les différents types d'éruption

Tous les volcans n'explosent pas. Le type d'éruption dépend de la nature de la lave. Il en existe deux sortes.

Quand la lave est liquide, elle s'écoule lentement par l'ouverture sans provoquer d'éruption violente.

Quand elle est épaisse et collante, elle jaillit du cratère violemment. Car

Ce n'est pas de la fumée que l'on voit s'échapper du volcan, mais un panache de cendres, de lave et de gaz.

Ceci est un morceau de pierre ponce, une roche volcanique pleine de bulles d'air... et qui flotte !

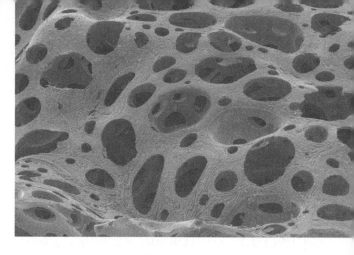

le magma s'est agglutiné à l'intérieur du volcan. Il est en fusion : il est agité par l'explosion des bulles qui libèrent des gaz brûlants. Lorsqu'il remonte dans la cheminée, il double de volume car la vapeur d'eau le dilate.

Dans la cheminée, c'est comme à l'intérieur d'une bouteille de soda que l'on secoue. La pression devient intense. Quand tu débouches la bouteille, le gaz est libéré subitement, et alors gare à toi si tu ne veux pas être aspergé !

Et quand la lave s'échappe violemment du cratère, les gaz se trouvent soudainement libérés. C'est une éruption explosive. Un nuage de gaz, de cendres et de roches s'élève.

Au cours de millions d'années, les éruptions vont se reproduire, créant ainsi petit à petit une montagne.

Des conséquences catastrophiques

De violentes éruptions provoquent des tremblements de terre, des inondations, des tsunamis, des glissements de terrain ou des coulées de boue. Les populations peuvent être asphyxiées par les gaz toxiques ou blessés par la retombée des roches ou des cendres.

Les gaz sont composés principalement de dioxyde de carbone et de vapeur d'eau.

Il arrive qu'une éruption soit accompagnée d'un nuage brûlant de gaz et de roches, qui se déplace très rapidement. Les scientifiques appellent ce phénomène *nuée ardente*.

En 79 après Jésus-Christ, le Vésuve, en Italie, entra soudainement en éruption. La ville romaine de Pompéi fut ensevelie sous deux mètres de cendres. Mais c'est la coulée pyroclastique qui produisit le plus de dégâts. Elle dévala les pentes de la montagne, en incendiant tout sur son passage, en incinérant les animaux, les plantes et les gens instantanément.

La même catastrophe s'est produite en 1902, sur l'île française de la Martinique, avec l'éruption de la montagne Pelée. Une nuée ardente s'est déversée sur la ville de Saint-Pierre, tuant 40 000 personnes.

« Coulée pyroclastique » signifie « fragments de feu ». C'est un flot brûlant composé de gaz, de cendres et d'autres fragments de lave.

La ville de Saint-Pierre, dévastée par l'éruption.

Le changement climatique

Les volcans peuvent aussi bouleverser le climat. Après une grosse éruption, un nuage de poussières s'élève haut dans le ciel et masque les rayons du soleil. Les jours se font plus sombres et plus froids.

En 1815 eut lieu l'éruption du Tambora, situé sur une île de l'Indonésie. Elle provoqua un nuage de poussières si dense que la température chuta partout dans le monde. Il neigea même dans certains états des États-Unis, en plein été !

Les volcans boucliers

Les volcans boucliers sont très étendus. Leur sommet ressemble à un bol géant, ou à un bouclier. Lorsqu'ils entrent en éruption, la lave s'écoule lentement, parfois sur plusieurs centaines de kilomètres.

Le Mauna Loa, à Hawaï.

L'Etna,
en Sicile.

Les volcans fissuraux

Ce sont les volcans les plus
répandus. Lors d'une éruption, la lave
est projetée si haut dans l'air qu'elle a
le temps de refroidir. Elle retombe en
cendres qui vont petit à petit former
un cône autour du cratère. Ce type
de volcan ne devient en général pas
très grand.

Le mont Fuji-Yama, au Japon.

Les volcans composites

Les plus belles montagnes sur la planète sont des volcans composites, ou *stratovolcans. Composite* veut dire « composé de plusieurs parties ». Au cours des siècles, des couches de roches, de lave et de cendres se sont superposées. Ces volcans peuvent atteindre une altitude impressionnante.

Ils présentent souvent des éruptions de type explosif, très dangereuses.

Le Fuji-Yama est un volcan composite endormi. C'est aussi la plus haute montagne du Japon. À son sommet, le cratère est large de 500 mètres. De nombreux artistes et écrivains ont célébré la beauté de cette montagne.

L'activité volcanique

Les scientifiques classent les volcans en trois catégories : actifs, endormis ou éteints.

Les volcans actifs sont entrés récemment, ou pourraient entrer bientôt, en éruption. On estime leur nombre sur terre à 500, mais il y en aurait plus de 1 500 sous l'eau.

Le volcan français le plus actif est le piton de la Fournaise sur l'île de la Réunion.

Les volcans sont dits « endormis » quand ils n'explosent plus et qu'ils n'éjectent plus de lave ou autre depuis très longtemps. Mais ils peuvent un jour se réveiller.

Les volcans éteints n'ont pas eu d'activité depuis des millénaires et ne risquent pas, selon les spécialistes, d'entrer en éruption.

Les volcanologues

On appelle les spécialistes des volcans les volcanologues. Ils font des recherches en laboratoire, mais aussi sur le terrain. Ils ramassent des échantillons de lave et de gaz, et relèvent la température près du cratère.

Certains volcans sont très chauds. Les volcanologues doivent alors porter une combinaison protectrice faite de métal réfléchissant la chaleur.

Deux volcanologues français sont restés célèbres : Katia et Maurice Krafft. Ils effectuaient des contrôles sur un volcan au Japon, en 1991, lorsque celui-ci est entré en éruption. Gênés par leur combinaison, ils n'ont pas pu s'échapper et sont morts dans l'explosion.

Un volcanologue en train de prélever des échantillons sur l'Etna.

Paricutín : naissance d'un volcan

Le 20 février 1943, au Mexique, un fermier a remarqué dans son champ une fissure, large d'une cinquantaine de mètres. Un grondement est monté des profondeurs, comme un bruit de tonnerre. Et soudain, la terre a commencé à se soulever tandis qu'un nuage de poussières et de cendres s'est élevé dans les airs. Le fermier venait d'assister à la naissance d'un volcan. Les scientifiques lui ont donné le nom d'un village voisin, Paricutín. Puis le volcan a, en un an, atteint plus de 336 mètres !

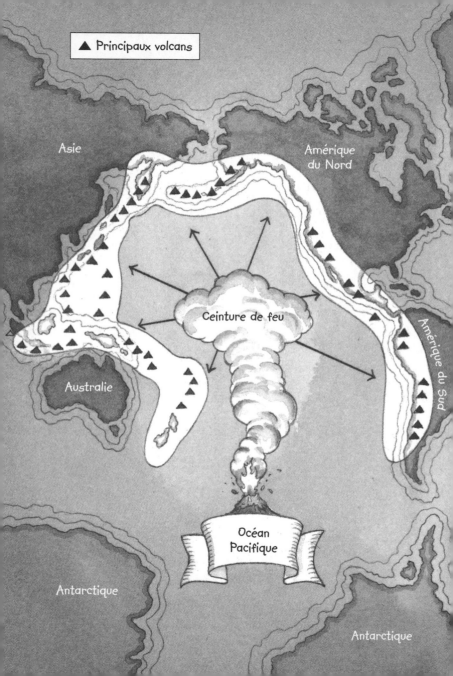

5

La ceinture de feu

L'océan Pacifique recouvre presque la moitié de la planète. La plupart des tsunamis, des volcans et des tremblements de terre se produisent dans la région pacifique. Et neuf fois sur dix, ils ont lieu dans une zone appelée la « Ceinture de feu ». C'est un alignement de volcans qui s'étend en demi-cercle sur les bords de la plaque pacifique.

Le Japon, situé sur la Ceinture de feu, compte 186 volcans.

La plaque pacifique, très large, se déplace constamment sous l'océan, et heurte de nombreuses autres plaques. Celles-ci, en s'écartant ou en se rapprochant, peuvent provoquer de violentes secousses de la terre.

Les volcans sous-marins

La Ceinture de feu compte des milliers de volcans sous-marins. Depuis peu, les scientifiques se sont mis à les explorer, grâce à des robots et à de petits sous-marins.

Les volcans sous-marins sont soit de hautes montagnes, soit des failles dans le plancher océanique, par où la lave s'écoule. Parfois, quand il n'y a pas de remontée de magna, l'eau de mer s'infiltre dans les fissures du plancher océanique. Chauffée à bloc, elle rejaillit avec une très forte pression riche en minéraux dissous. Elle est alors teintée en noir ou en blanc. En refroidissant, les minéraux s'empilent sous forme de hautes cheminées. On les appelle des « fumeurs noirs ». Ils abritent des créatures très étranges comme des crabes phosphorescents.

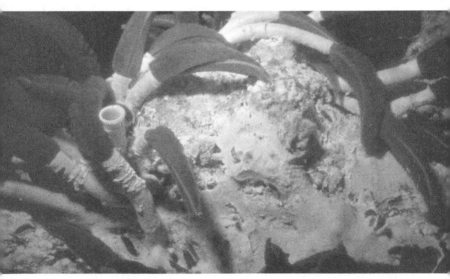

Des vers géants en forme de tube habitent autour des cheminées, dans une eau à 80 °C (à peine 20 °C en dessous de son point d'ébullition !).

De la lave « en coussin », qui s'est écoulée d'une cheminée ouverte dans le plancher océanique.

Il arrive que des volcans sous-marins émergent de l'eau, créant un archipel, un ensemble d'îles. Le Japon, Hawaï et les Philippines sont des archipels volcaniques.

Le Mauna Loa, à Hawaï, est le plus grand volcan sous-marin actif du monde. Il culmine à presque 10 000 mètres du plancher océanique, et mesure 120 kilomètres de largeur.

Sur la Ceinture de feu, il se produit des tremblements de terre et des éruptions volcaniques depuis des milliers d'années. Ces phénomènes ont peu à peu modifié le paysage naturel.

Le volcan Mauna Loa est actif depuis 80 000 ans.

Tourne la page pour découvrir les plus célèbres exemples de catastrophes naturelles.

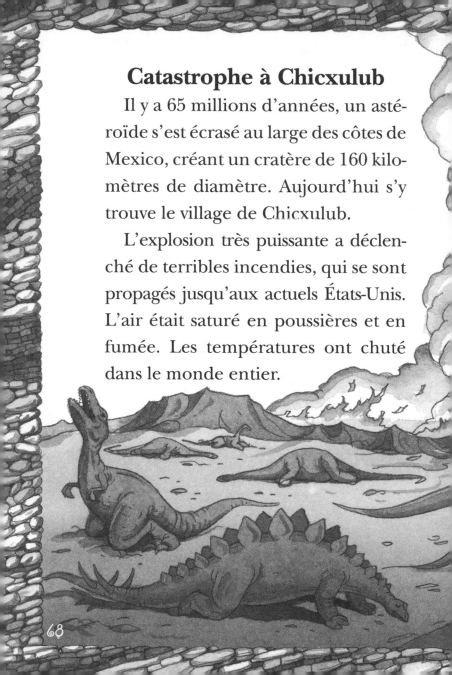

Catastrophe à Chicxulub

Il y a 65 millions d'années, un asté-roïde s'est écrasé au large des côtes de Mexico, créant un cratère de 160 kilo-mètres de diamètre. Aujourd'hui s'y trouve le village de Chicxulub.

L'explosion très puissante a déclen-ché de terribles incendies, qui se sont propagés jusqu'aux actuels États-Unis. L'air était saturé en poussières et en fumée. Les températures ont chuté dans le monde entier.

Les plantes et les animaux sont morts par millions. L'impact a provoqué des tsunamis géants qui ont déferlé sur les côtes d'Haïti et de Floride. Les scientifiques, qui font remonter l'extinction des dinosaures à la même période, se demandent s'il n'y a pas un lien avec cette catastrophe naturelle.

La Bête de Yellowstone

Chaque jour, les visiteurs du Parc national de Yellowstone se pressent pour voir la terre cracher un immense panache d'eau chaude. Ce phénomène, appelé *geyser*, est dû à l'activité volcanique souterraine. En effet, le plus grand volcan actif de la planète se trouve sous le parc. Les scientifiques l'ont surnommé « la Bête », à cause de sa taille.

Il est entré en éruption il y a environ 600 000 ans. L'explosion, monstrueuse, a détruit des montagnes et décimé des troupeaux d'animaux à des centaines de kilomètres à la ronde.

Le volcan a laissé une *caldeira* géante : un trou en forme de cuvette, rempli d'herbe et de terre. La plus grosse partie se trouve sous le lac de Yellowstone.

D'après les spécialistes, il est possible que ce volcan gigantesque se réveille un jour. Quand exactement, ils l'ignorent…

Toba, le supervolcan

Toba est un grand volcan en Indonésie. Il fait partie des super-volcans, c'est-à-dire qu'il est responsable d'éruptions particulièrement violentes. La dernière s'est produite il y a environ 5 000 ans. Un épais nuage de cendres a bloqué la lumière du soleil. Le ciel est devenu noir.

Pendant des années, les températures ont chuté de 3 à 3,5 degrés, causant la disparition des plantes et de presque toute la population sur terre. Les survivants sont tes ancêtres !

Aujourd'hui, un lac magnifique s'étend dans son cratère. D'après les scientifiques, Toba est encore actif.

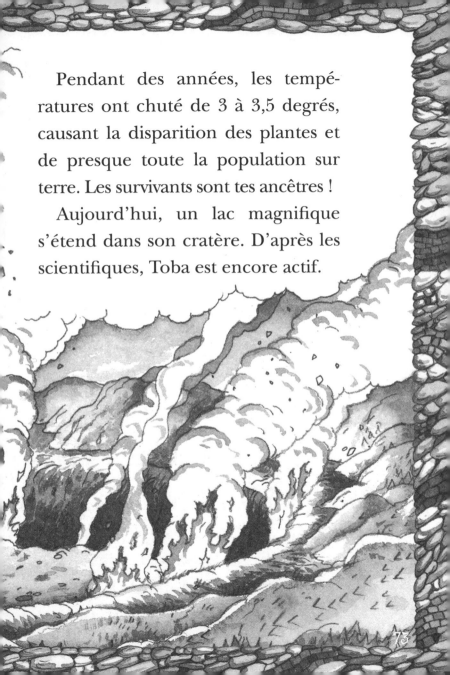

Le continent disparu, l'Atlantide

Il y a 2 000 ans, le philosophe Platon s'est inspiré de légendes grecques et a raconté, dans le *Timée*, puis le *Critias ou l'Atlantide*, l'histoire d'une île engloutie par une catastrophe naturelle : l'Atlantide.

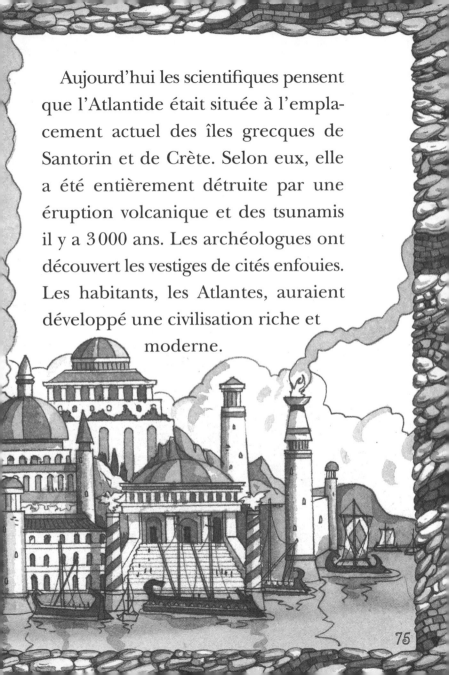

Aujourd'hui les scientifiques pensent que l'Atlantide était située à l'emplacement actuel des îles grecques de Santorin et de Crète. Selon eux, elle a été entièrement détruite par une éruption volcanique et des tsunamis il y a 3 000 ans. Les archéologues ont découvert les vestiges de cités enfouies. Les habitants, les Atlantes, auraient développé une civilisation riche et moderne.

La destruction
de Lisbonne

Lisbonne, la capitale du Portugal, était une ville superbe. Le 1er novembre 1755, jour de fête religieuse, presque tous les habitants se trouvaient à l'église.

Soudain un tremblement de terre d'une magnitude aujourd'hui estimée entre 8,5 et 9 dévasta la ville. Églises, palais et ponts s'effondrèrent. Des incendies se déclarèrent partout. Et, peu de temps après, un tsunami inonda le port de Lisbonne, faisant disparaître toute la ville basse sous les flots. On estime que 60 000 personnes, soit un tiers de la population de la ville, ont péri.

Glissements de terrain et avalanches

En avril 1991, le volcan Pinatubo, aux Philippines, entre en irruption, après six cents ans de calme. Une quantité impressionnante de cendres s'entasse sur les pentes du volcan. La pluie les transforme en une coulée de boue qui dévale à toute vitesse la montagne, détruisant tout sur son passage. Bilan : plus de 900 morts.

Cette statue, c'est tout ce qui reste de Yungay.

En mai 1970, au Pérou, un séisme de magnitude 8 provoque une avalanche. Dans sa chute, à 160 km/h, elle engloutit la ville de Yungay. Le tremblement de terre et l'avalanche auraient causé la mort de 30 000 habitants.

Chaque année, les glissements de terrain, les coulées de boue et les avalanches dévastent des régions entières. Les dégâts se chiffrent à plusieurs milliards d'euros. Qu'est-ce qui les provoque ? Que peut-on faire pour s'en protéger ?

Glissements de terrain et coulées de boue

Suite à de fortes pluies, une éruption volcanique ou un séisme, de la roche, de la terre ou de la boue dévalent

Maisons à Laguna Beach, Californie, après un glissement de terrain en juin 2005.

Montagne à nu

une colline ou une montagne. Cela entraîne des glissements de terrain. La déforestation ou les incendies sont aussi responsables de ces catastrophes naturelles. Car les flancs de la montagne, mis à nu, ne peuvent plus retenir la terre. La gravité entraîne la terre et la boue jusqu'en bas de la montagne, parfois lentement, mais quelquefois brutalement.

Maman, regarde, sans gravité !

La gravité, c'est la force qui attire tous les objets vers la terre. Sans elle, nous flotterions comme des ballons.

Lorsque les cendres volcaniques se mélangent avec un cours d'eau, de fortes pluies ou de la neige fondue, on appelle la coulée de boue un *lahar*.

Le pire glissement de terrain s'est produit le 18 mai 1980, après l'éruption du mont Saint Helens, dans l'État de Washington aux États-Unis. Un séisme de magnitude 5.1 a tout d'abord secoué le sommet du volcan.

Cela a provoqué un éboulement sur sa face nord et déclenché une éruption gigantesque. Des kilomètres de terre et de roches ont dévalé les pentes à plus de 250 km/h jusque dans le lac Spirit. Cela a chassé l'eau et soulevé des vagues de plusieurs dizaines de mètres de haut. En retombant, elles ont entraîné avec elle des milliers d'arbres déracinés.

Mais ce n'est pas tout ! La chaleur dégagée par l'éruption a aussi fait fondre la neige au sommet. Devenue liquide, elle s'est mélangée à la lave et aux cendres volcaniques. Un gigantesque lahar a alors dévalé la pente, détruisant sur son passage 200 maisons, 47 ponts et 300 kilomètres de routes !

Glissement de terrain du mont Saint Helens.

En cas de glissement de terrain

Chaque année, les glissements de terrain et les coulées de boue coûtent la vie à plusieurs dizaines de personnes. Voici ce que vous pouvez faire pour vous protéger.

1. Si vous vivez à flanc de montagne, écoutez la radio s'il y a de fortes pluies.

2. Observez la pente pour voir s'il se produit des écoulements de boue, et surveillez le niveau d'eau des rivières.

3. Réfugiez-vous en hauteur, surtout si vous voyez des arbres pencher.

4. En cas de glissement de terrain soudain, abritez-vous sous une table ou un meuble solide.

Les avalanches

Ce sont des coulées de terre et de roches mélangées avec de la neige ou de la glace. C'est un phénomène fréquent : chaque année, on compte en moyenne 250 000 avalanches dans les Alpes. Et c'est la France qui détient le record du monde depuis dix ans !

Avec la quantité de neige contenue dans une grosse avalanche, on pourrait remplir vingt stades de football sur une hauteur de trois mètres.

Les plus dangereuses sont les avalanches de plaques. Elles sont dues à une mauvaise liaison entre une plaque de surface et une sous-couche plus fine. Cette dernière ne supporte plus le poids de la neige accumulée à la surface. L'équilibre est rompu. La couche la plus épaisse glisse sur la plus

fragile à la vitesse de 100 km/h.
Impossible alors de s'échapper !

La faute aux flocons !

Sous l'objectif d'un microscope,
les flocons de neige ressemblent à
des étoiles à six branches. Il n'y en a
pas deux identiques. Lorsqu'il neige,
la pression exercée sur les couches
inférieures arrondit les extrémités
des flocons, qui ne s'emboîtent plus
aussi bien. La gravité entraîne alors la
neige vers le bas : c'est le début d'une
avalanche.

Magnifiques flocons

Les avalanches sont plus nom-breuses lorsque le temps se radoucit, ou durant une tempête. Le manteau neigeux devient alors instable.

Un séisme, un orage ou une éruption volcanique peuvent aussi déclencher une avalanche.

Il arrive que les skieurs eux-mêmes soient à l'origine d'une avalanche par accident. Si tu as l'intention de faire du ski ou du scooter des neiges en montagne, préviens tes proches de ton itinéraire. Et surtout, ne pars jamais seul ! Fais attention aux panneaux de danger, et reste en dehors des zones balisées. Surveille l'état de la neige : des fissures ou des bruits suspects sont autant d'avertissements.

Si une avalanche est déjà en route, tu ressentiras une forte bourrasque de vent : c'est de l'air déplacé. Suis alors ces conseils.

Après une avalanche, la neige devient parfois aussi dure que du ciment.

En cas d'avalanche

1. Lâche tes bâtons de ski.

2. Ferme bien ton blouson
pour éviter que la neige ne pénètre.

3. Si possible, agrippe un tronc
d'arbre ou un rocher.

4. Lorsque la neige déferle, essaye
de gagner le sommet de l'arbre.

Le risque d'être pris dans une avalanche est mince. Seulement 150 personnes dans le monde en sont victimes chaque année.

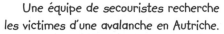
Une équipe de secouristes recherche les victimes d'une avalanche en Autriche.

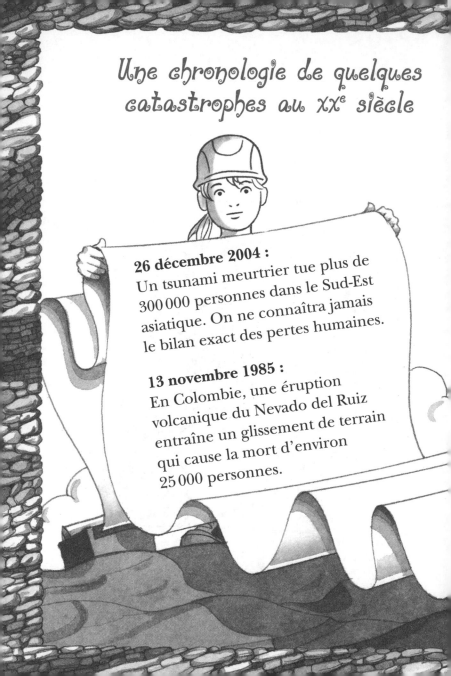

Une chronologie de quelques catastrophes au XXe siècle

26 décembre 2004 :
Un tsunami meurtrier tue plus de 300 000 personnes dans le Sud-Est asiatique. On ne connaîtra jamais le bilan exact des pertes humaines.

13 novembre 1985 :
En Colombie, une éruption volcanique du Nevado del Ruiz entraîne un glissement de terrain qui cause la mort d'environ 25 000 personnes.

28 juillet 1976 :
La ville de Tangshan, en Chine, est frappée par un séisme pendant la nuit. 655 000 habitants perdent la vie.

22 mai 1927 :
200 000 personnes périssent dans un tremblement de terre à Qinghai, en Chine.

1ᵉʳ septembre 1923 :
Tokyo et Yokohama, au Japon, sont dévastées par un séisme meurtrier qui cause la mort de 140 000 personnes.

7

Au secours !

Après chaque catastrophe, des équipes de sauveteurs venues des quatre coins du globe se précipitent au secours des victimes. Ce sont souvent des volontaires qui donnent leur temps et leurs compétences. Les médecins et les infirmières installent des tentes pour soigner les blessés. Des couvertures, de la nourriture, de l'eau, des tentes et des médicaments sont acheminés par avion.

Des spécialistes arrivent en renfort. Des ingénieurs installent de lourds engins pour enlever les décombres. Et, de partout dans le monde, de l'argent, de la nourriture et des vêtements affluent.

Objectif : sauver des vies

Le premier défi pour les sauveteurs est d'atteindre les victimes emprisonnées sous les décombres. Ils utilisent des mégaphones pour les appeler. Ils leur demandent de frapper sur des tuyaux ou des murs. Un appareil appelé « détecteur de vie » leur permet de repérer d'où viennent les bruits. Ils peuvent alors intervenir.

Les secouristes emploient aussi des caméras de recherche. Ils forent de petits trous dans les blocs de ciment dans lesquels les caméras évoluent. Elles renvoient ensuite l'image des personnes prises au piège sous les ruines.

Mais les sauveteurs ne sont pas que des hommes. Il y a aussi des chiens car ils possèdent un odorat

Un sauveteur espagnol et son chien à la recherche de survivants au San Salvador.

très développé. On les entraîne à sentir les victimes sous les débris ou même sous la neige. Un seul chien se révèle parfois aussi efficace que vingt hommes pour retrouver des sinistrés.

Faire partie d'une équipe de secouristes n'est pas une tâche facile. Cela comporte des risques. Les sauveteurs peuvent être pris au piège dans des répliques du tremblement de terre. Ils travaillent de longues heures et se reposent peu. Ils doivent aussi faire face aux maladies dues à la contamination de l'eau.

Les médecins opèrent dans de mauvaises conditions.

Les secouristes ne baissent jamais les bras. L'objectif : sauver le plus de vies possible !

Les catastrophes naturelles n'épargnent personne : certains sont blessés, d'autres meurent, d'autres encore perdent leurs proches, leur maison et leur travail. Chacun peut aussi aider à sa manière en envoyant, par exemple, de l'argent ou des vêtements.

Pour en savoir plus

Il te reste encore beaucoup à apprendre sur les phénomènes géologiques. Complète tes connaissances en explorant d'autres pistes.

Les livres

Tu trouveras dans les librairies et les bibliothèques des ouvrages qui traitent des catastrophes naturelles. Suis ces quelques conseils :

1. Tu n'es pas obligé de lire le livre en entier. Consulte la table des matières ou l'index pour aller directement à ce qui t'intéresse.

2. N'oublie pas de noter le titre pour pouvoir le retrouver facilement.

3. Ne te contente pas de recopier le texte mot pour mot. Il vaut mieux le réécrire avec tes propres mots.

4. Assure-toi qu'il s'agit bien d'un ouvrage documentaire. De nombreux livres racontent des histoires inventées qui s'inspirent de ces drames. Ce sont des récits de fiction. Ils sont faciles à lire, mais pas très utiles pour tes recherches.

Les documentaires contiennent des informations vraies. Demande à un bibliothécaire ou à ton professeur de t'aider à en trouver un.

Voici quelques livres intéressants écrits récemment :

- *La Terre se déchaîne : ouragans, séismes, tsunamis,* de Sabine Rabourdin, La Martinière Jeunesse, collection « Hydrogène », 2006.

- *Au cœur des volcans,* de Evelyne Pradal et Dominique Decobecq, Fleurus, collection « Voir la terre », 2012.

- *Les risques naturels,* de Robert Poitrenaud et George Delobbe, PEMF, collection « 30 mots clés pour comprendre », 2004.

- *Les catastrophes naturelles,* de H. M. Mogil et B. G. Levine, Larousse, collection « À la loupe », 2010.

- *Volcans et séismes,* de Kenneth Rubin, Larousse, collection « À la loupe », 2012.

- *La colère des volcans*, de Susanna Van Rose, Gallimard Jeunesse, collection « Les yeux de la découverte », 2009.
- *Les volcans pour les nuls juniors*, de Émilie et Pierre Juin, First, collection « Pour les nuls juniors », 2012.

Les musées

Lorsque tu te rends dans un musée, n'oublie pas de :

1. Prendre un carnet. Note ce qui t'intéresse et dessine ce qui t'attire l'œil.

2. Poser des questions. Il y a toujours un membre du personnel du musée qui peut t'aider à t'orienter.

3. Consulter le calendrier des expositions temporaires ou des activités pour les enfants.

Les musées et les parcs géologiques sont souvent implantés sur les sites où ont eu lieu des catastrophes naturelles. Si tu vas aux États-Unis en vacances, tu trouveras de nombreux musées.

En France, le dernier tremblement de terre meurtrier a eu lieu en Provence, en 1909. Deux musées retracent ce désastre :

• **Musée de Géologie et d'Ethnographie**
Cours Maréchal-Foch
13640 La Roque-d'Anthéron
http://www.musee-geologie-ethnographie-laroque.com/
Renseignements au 04 42 53 41 32

• **Maison du Parc naturel régional du Luberon**
60, place Jean-Jaurès
84400 Apt
http://www.parcduluberon.fr/Le-parc-naturel-regional/Le-parc-vous-accueille/Maison-du-Parc
Renseignements au 04 90 04 42 00

Tu peux aussi visiter le parc d'attraction Vulcania, au cœur du Parc naturel régional des volcans d'Auvergne.

• **Vulcania. L'aventure de la Terre**
Route de Mazayes
63230 Saint-Ours-les-Roches
http://www.vulcania.com/
Renseignements au 0820 827 828

Mais c'est surtout dans les DOM, départements français d'outre-mer, qu'ont eu lieu les plus importantes catastrophes naturelles. Si tu vas sur ces îles en vacances, n'oublie surtout pas de visiter :

• **Maison du volcan**
RN3 Bourg Murat
97418 Plaine-des-Cafres
La Réunion
http://www.maisonduvolcan.fr/
Renseignements au 02 62 59 00 26

• **La maison du volcan**
Avenue Edgar-Nestoret
97260 Le Morne-Rouge
Martinique
Renseignements au 05 96 52 45 45

Les films

Il existe des vidéos qui traitent de ce sujet. En voici quatre :

- *C'est pas sorcier : volcans, séismes et tout le tremblement,* France Télévisions, 2004.
- *Volcans !,* de Isy Morgensztern et Maryse Bergonzat, coll. « GEO », Arte Vidéo, 2012.
- *Ça m'intéresse – L'anneau de feu du Pacifique : les volcans de l'enfer,* One plus One, 2009.
- *Grandes catastrophes naturelles,* Lancaster, coffret 5 DVD, 2009.

Internet

Il existe de nombreux sites sur le sujet des catastrophes naturelles. Assure-toi qu'ils sont mis à jour régulièrement, c'est-à-dire qu'ils contiennent des informations revues et corrigées en fonction des recherches les plus récentes.

Voici les sites que Tom et Léa ont consultés. Demande à tes parents ou à ton professeur de t'aider à naviguer sur Internet.

- http://fr.vikidia.org
- http://www.mobiclic.com/le-blog/
- http://www.dinosoria.com
- http://www.universcience.fr/juniors (réalisé par la Cité des sciences, super lien interactif !)
- http://education.francetv.fr

Bonne découverte !

Index

Crédits iconographiques

p. I : Volcan en éruption © Jose Jacome/epa/Corbis.

p. II : image de fond : volcanologue prélevant de la lave © Roger Ressmeyer/Corbis ; Hélicoptère survolant un volcan © Roger Ressmeyer/Corbis ; forêt en feu © G. Brad Lewis/Science Faction/Corbis ; pain de Pompéi © Erich Lessing/akg-images ; coupe avec olives Pompéi © Erich Lessing/akg-images.

p. III : Tsunami Hawaï © IAM/akg ; Tsunami Inde © ullstein bild/akg-images.

p. IV : image de fond : Avalanche © Menno Boermans/ Aurora Photos/Corbis ; Panneaux enneigés © John Norris/ Corbis ; chien tenant une pelle à neige © Gambarini Mauricio/AFP ; Journal *L'illustré* © UIG/ Getty Images.

p. 9, 10-11, 39, 40, 81, 82 : AP/Wide World Photos ; p. 93 : © Bergrettung Kaprun/Reuters/Corbis ; p. 29 : © Bettmann/Corbis ; p. 59 : Jeremy Bishop/Photo Researchers, Inc. ; p. 90 : © Chase Jarvis/Corbis ; p. 23 : © Lloyd Cluff/Corbis ; p. 53 : © Corbis ; p. 26 : © James King-Holmes/Photo Researchers, Inc. ; p. 50 : Dennis Kunkel/Phototake ; p. 54 : NASA/Photo Researchers, Inc. ; p. 66 : OAR/National Undersea Research Program ; p. 65 : OAR/National Undersea Research Program ; College of William & Mary ; p. 55 : Carsten Peter/National Geographic/Getty Images ; p. 84-85 : © Roger Ressmeyer/Corbis ; p. 99, 100 : © Reuters/Corbis ; p. 56 : © Royalty-Free/ Corbis ; p. 89 : © Elisabeth Sauer/zefa/Corbis ; p. 33 : Science Museum/Science & Society Picture Library ; p. 80 : U.S. Geological Survery.

Tu as aimé ce livre ?
Découvre toute la collection !